Le Guide
du
Mauvais Père

-3-

shampooing

Dans la même collection :
www.editions-delcourt.fr/catalogue/collections/shampooing

Du même auteur, chez le même éditeur :
• *Chroniques birmanes*
• *Chroniques de Jérusalem*
• *Louis à la plage*
• *Louis au ski*
• *Papier* (tomes 1 à 3) - collectif

À l'Association :
• *Pyongyang*
• *Shenzhen*
• *Albert et les autres*
• *Aline et les autres*
• *Réflexion*

Chez Dargaud Éditeur :
• *Inspecteur Moroni* (trois volumes)

Aux Éditions La Pastèque :
• *Comment ne rien faire*

Site Internet :
www.guydelisle.com

shampooing

Collection dirigée par Lewis Trondheim.

© 2015 Éditions Delcourt

Tous droits réservés pour tous pays
Dépôt légal : janvier 2015. I.S.B.N. : 978-2-7560-6647-9
Première édition

Conception graphique : Trait pour Trait, Lewis Trondheim & Guy Delisle

Achevé d'imprimer en décembre 2014
par Aubin Imprimeur, à Ligugé

www.editions-delcourt.fr

- Harry Potter

"Harry Potter, muni de la cape d'invisibilité, avançait dans les couloirs sombres du pensionnat de Poudlard..."

Oh là là !

"Avançait", ça fait partie de quel groupe de verbe ?

Quoi ?

"Harry Potter avançait", c'est le verbe avancer. c'est le premier, le deuxième ou le troisième groupe ?

C'est dans le livre, ça ?

Non.

PFF! C'est pas rigolo! Après je comprends plus ce qui se passe.

Oui, mais lundi tu as un contrôle et la dernière fois, c'était pas fameux.

Oui mais là, j'ai déjà fait tous mes devoirs.

Voyons voir...
Donc: "Harry avançait," premier groupe,
"dans les couloirs de Poudlard..."

"Soudain, Quirrel enlève son turban et l'ignoble créature se met à parler d'une voix suraiguë. Pour la première fois, Harry se retrouve devant Celui-dont-on-ne-doit-pas-prononcer-le-nom."

Voldemort !

Chut! Malheureuse, il ne faut pas prononcer son nom à voix haute !

Ah oui, c'est vrai !

Oups !

"Harry Potter, j'ai utilisé toutes les forces en mon pouvoir pour prendre forme humaine, je suis venu te dire que..."

Il va le tuer ?!

Sois patiente, il ne reste que quelques pages.

Continue !

"Harry est comme figé sur place, il n'arrive plus à bouger. Voldemort s'approche de lui. Ses yeux sont injectés de sang et sa bouche est déformée par la haine. Il lui dit..."

« Harry Potter, savais-tu que comme <u>FINIR</u>, <u>OBÉIR</u> et <u>RÉUSSIR</u>, les verbes du deuxième groupe se terminent tous par <u>ir</u> ? »

Delisle

- <u>Dans le jardin</u>

Bon, je crois qu'on a brûlé toutes les feuilles et les petites branches qui traînaient.

Ça faisait une sacrée pile.

On pourrait facilement faire un barbecue, avec toutes ces braises.

C'est vraiment très chaud.

Tu sais qu'un petit briquet comme ça, c'est rempli de butane ?

Ah bon !

Et tu sais que le butane, ça explose si on le jette dans le feu ?

Ah bon ?

Attention, ça devrait
plus être très long...

Trois... deux... un...

Mmm... Trop bizarre, il se passe rien.

Tu trouves pas ça bizarre, toi ?

Oui, c'est vrai que c'est curieux.

Bon, on va pas rester là toute la journée !

Même pour le dernier album de "One Piece" que t'as pas encore lu ?

Delisle

- <u>Sortie d'école</u>

23

Bon, qu'est-ce qu'on fait, on rentre à la maison ?

Oui, mais d'abord, on va attendre que ton frère sorte.

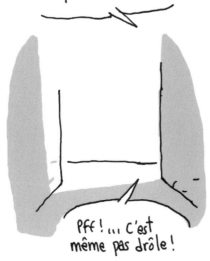

- <u>Je chante</u>

♫ Je chante...
♫ Je chante soir et matin,
je chante sur mon chemin...

♫ Je vais de ferme
en château...

♫ Je chante pour du pain,
je chante pour de l'eau...

♫ Les nymphes, divinités de la nuit,
les nymphes, couchent dans mon lit. ♫

♫ Elle n'a laissé qu'un peu d'riz pour moi.

♫ Me dit un laquais chinois.

Et comme dessert: des gaufres au sucre.

Wé!

♫ Je chante ...

♫ Je chante soir et matin,
je chante sur mon chemin ...

Mais, Alice...! Fais attention avec ta gaufre, tu en mets partout à côté de ton assiette!

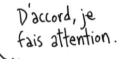

D'accord, je fais attention.

Je chante pour du pain, je chante pour de l'eau. Je chante soir et matin, je chante sur mon chemin ...

Je vais de ferme en château...

 Me dit un laquais chinois.

♫ Les nymphes,
divinités de la nuit,..

Delisle

- <u>Taralle</u>

Ben, je sais pas...

C'est pas un vrai mot,
je crois.

Tu as entendu
ça où ?

C'est à la sortie des
classes, y avait la mère
de Manon qui était fâchée
et qui disait "putain de
taralle".

Ah, oui, d'accord... Avec le contexte, je comprends mieux ce que tu veux dire.

C'est quoi, alors ?

En fait, c'est pas "taralle" qu'il faut dire, c'est "ta race", en deux mots.

D'abord, il y a <u>ta</u>, adjectif possessif, et ensuite <u>race</u>, nom commun qui désigne un groupe de gens, une communauté...

Il faut donc dire :
"putain de <u>ta race</u>"
et non pas "putain de <u>taralle</u>".
Ça, ça veut rien dire.

Pour écrire "t<u>a</u>", c'est: t-a.
Ça, c'est facile, tu connais...
Mais pour <u>race</u>, il y a un piège.

r - a - s - s - e ?

Non, pas tout à fait !
C'est r-a-<u>c</u>-e.
On met le "c" pour faire
le son "s".

Putain de ta ra<u>c</u>e.

Oui.

Par contre, il faut
que tu aies l'air un
peu plus fâché,
quand tu dis ça.

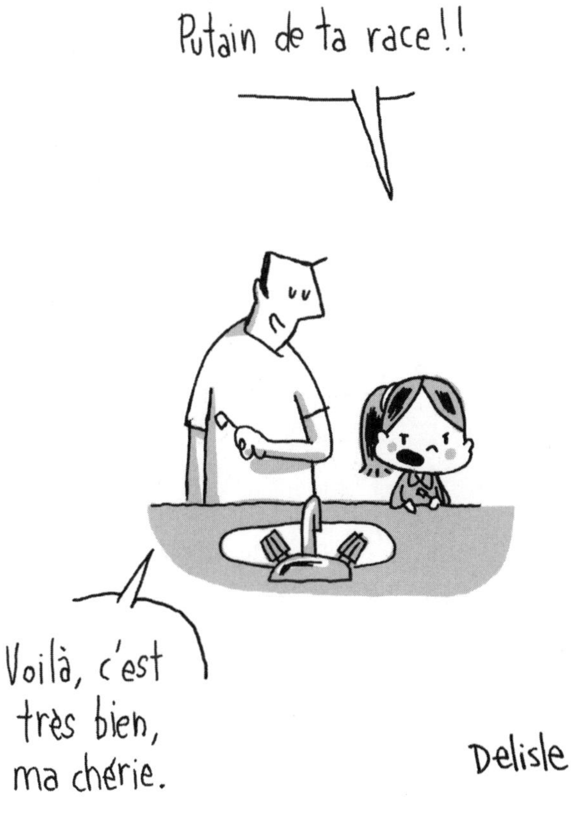
Putain de ta race!!
Voilà, c'est très bien, ma chérie.
Delisle

- <u>La moutarde</u>

À la cantine, on a fait
un concours complètement
stupide.

Quoi donc ?

On a fait celui qui arrivait
à manger le plus de moutarde.

Darius en a pris la moitié d'une cuillère.

Mais moi, j'ai gagné parce que j'en ai avalé une cuillère au complet.

Ça m'a vraiment piqué, j'ai cru que mon nez était en feu.

Oh là là... ça chauffe un max!
Je sens plus mon nez.

Arrête, Papa, c'est juste des bêtises de gamins.

T'inquiète, je gère.

Delisle

– Les bourreaux

Tu as des devoirs
à faire pour demain?

Il faut finir la recherche
sur les métiers disparus.

Quoi?

Ça fait deux semaines que
ton professeur a lancé cet exercice,
et c'est ce soir que tu m'en parles!

Tu attends toujours le dernier
moment pour faire tes devoirs.

C'est pas
possible !

La prochaine fois,
j'aimerais que tu fasses
un effort.

C'est compris ?

Oui, c'est compris.

Bon, alors, tu as trouvé quoi comme vieux métier ?

J'ai rien trouvé.

Merveilleux.

Voyons voir...

Tu n'as pas beaucoup cherché, j'ai l'impression.

Forgeron ! C'est un vieux métier, ça, forgeron.

Écris-le.

On cherchera des images plus tard.

Quoi d'autre ? Bourreau, c'est un métier qui existe plus, ça, bourreau.

Écris-le.

C'est quoi un bourreau ?

C'est celui qui exécutait les condamnés à mort.

C'est quoi les condamnés à mort ?

Euh... Eh bien...

J'aurais préféré ne pas t'en parler, mais...

C'est tout à fait exact.

- DVD

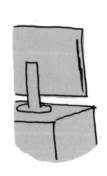

77

Delisle

- Le cadeau
  d'anniversaire

Alors, il faut faire super attention parce qu'il paraît que c'est très fragile, ce genre de jouets téléguidés.

Vas-y tout doucement avec la manette.

Vas-y, toi, moi j'ai peur
de le casser.

Bon, d'accord,
si tu préfères.

Tu vois, là, c'est écrit UP, ça doit être pour le faire monter.

Tu vois, j'appuie à peine.

Il faut vraiment procéder avec précaution.

Attends, tiens-moi ça une seconde,
j'ai les mains moites.

Voilà, on va essayer un peu
plus haut.

Ah zut! Il se met à tourner!
Pas de panique, pas de panique...

On doit pouvoir corriger ça
avec l'autre manette.
Voyons voir ça, tout doucement...

Dzzzz... Rrrtrrtr...
Paf!

Oh là là, catastrophe ! J'espère
que je l'ai pas pété.

Non, ça a l'air
d'aller.

On pourra mettre
de la colle si
c'est cassé.

On va réessayer, mais encore
plus doucement.

C'est mon tour.

Ah, euh...

Bien sûr, mais vas-y mollo, je te préviens...

Oui oui.

Alors, UP pour monter.

Le soir.

95

L'après-midi.

Wow, t'arrives à
tout réparer, toi, Papa!

Ah bon?

J'avais plié l'antenne
de ma télécommande, et
là, elle est comme neuve.

96

C'est vraiment nickel,
comment t'as fait ?

Euh ...
J'ai mis de la
colle.

Delisle

Qui est-ce que tu préfères, entre Louis et moi ?

Tu sais, ma chérie, nous les parents, on ne fonctionne pas avec des préférences pour nos enfants.

Louis, c'est mon garçon préféré, et toi, tu es ma fille préférée.

C'est ce qui est magique avec les parents, ils aiment tous leurs enfants à 100%.

Oui, mais disons qu'un
des deux devait mourir.
Tu préférerais que ça soit
Louis ou moi qui meure ?

Si l'un de vous deux
venait à mourir, ce
serait un terrible drame.

Mais jamais je ne pourrais choisir entre l'un ou l'autre.

Vous êtes tous les deux ce que j'ai de plus précieux au monde.

Je ne veux pas perdre
ni toi ni ton frère.

Vous êtes tous les
deux mes chéris d'amour.

En tout cas, moi, c'est Maman que je préfère !

Delisle

- <u>Tour de magie</u>

Papa!

Papa, tu veux m'aider pour le jeu de magie?

C'est une guillotine.

slurp!

Bon, passe-moi ça...
Ça doit pas être
bien sorcier.

Ouais!

Shit!

C'est pas possible de faire des pièces aussi mal foutues !

On pourrait mettre du scotch !

Du scotch ?

C'est ça, oui !

111

Tu plaisantes, j'espère ?

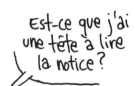

Est-ce que j'ai une tête à lire la notice ?

Écoute bien, fiston: mon grand-père a construit sa propre maison...

Mon père pouvait démonter le moteur de sa voiture jusqu'aux pistons...

La guillotine magique

① La lame est en haut.

La lame descend.

⚠ Attention ⚠

CLAC!

La lame reste en bas.

② CLAC!

La lame remonte.

Tiens, vas-y, mets ton doigt !

Non... J'ai peur que ça me fasse mal.

Mais ça craint plus rien, maintenant que j'ai compris le truc de magie !

J'te jure.

- <u>Le pingouin</u>

En classe, on a vu la pièce
de théâtre du pingouin.

Tu la connais ?

Euh...

C'est pas l'histoire du pingouin
qui est aveugle et à la fin, il meurt ?

Non ...

Celle du pingouin abandonné par ses parents qui se perd dans la forêt ?

Non...

Celle du pingouin leucémique qui essaie de s'échapper de prison ?

Non...

Non, c'est pas ça, c'est l'histoire du pingouin qui rêve de partir dans le Sud pour voir des couleurs.

Ah...

-La vie

Moi, j'aime bien aller à l'école.

Oui, au début, c'est sympa, l'école.

On fait du bricolage, on joue avec les copains, on nous lit des contes de fées.

C'est après que ça se complique.

Les jeux et le bricolage sont remplacés par les leçons et les devoirs à faire chaque soir à la maison.

Petit à petit, il y a des tests
et des concours...

On nous mesure,
on nous compare...

Bientôt, il faut arriver à suivre
le rythme, à se mesurer au
reste de la classe.

On entre en compétition, il faut dépasser les autres, se dépasser soi-même.

Et ça continue comme ça durant de longues années.

Pour les études supérieures, on en sort facilement après le vingt-cinquième anniversaire.

Malheureusement,
tous ces efforts n'ouvriront pas
nécessairement sur un emploi.

Car ensuite viendra
la course à l'emploi.

Et ensuite,
l'emploi lui-même,
avec ses quatre
semaines de congés.

Commencer au bas de l'échelle,
à supporter des patrons incompétents
en rongeant son frein...

Ben ça, on sait pas, les ours ne l'ont jamais revue dans leur maison.

Peut-être qu'elle s'est perdue dans la forêt ?

Delisle

-<u>Dans l'avion</u>

T'as peur de prendre
l'avion, toi, Papa ?

Ça dépend.

Parce que quand je suis tout seul, j'ai peur. Mais là, on est toute la famille ensemble, alors j'ai pas peur.

Pourquoi t'as pas peur quand on est tous ensemble ?

Parce que là, si l'avion venait à tomber, je sais qu'on mourrait tous ensemble.

Quand je suis tout seul, je sais que je laisserais derrière moi des enfants et une compagne.

J'imagine le drame que ça causerait pour vous tous, et du coup, j'ai peur que l'avion tombe.

Donc, en gros, tu préfères
qu'on meure avec toi ?

Euh... attends. C'était quoi, la question du début ? Si j'avais peur en avion ?

Delisle

- <u>Scientifique</u>

C'est vrai, Papa, que la Lune elle est attirée par la Terre et qu'elle va finir par nous tomber dessus ?

C'est tout à fait exact. La Lune est attirée par la force d'attraction de la Terre. C'est la même attraction qui fait qu'on reste collé au sol.

Elle se rapproche tout doucement, millimètre par millimètre.

Ce qui veut quand même dire qu'à un moment, elle sera juste à la hauteur de la tête des gens.

Mais pour la Lune ça va se passer dans des milliers d'années, y a pas à s'en faire pour ça.

Ensuite, elle descendra encore un peu et les gens devront se pencher quand elle passera au-dessus d'eux.

Ça sera bien embêtant, mais heureusement, elle ne passera qu'une fois par mois.

Ils pourront peut-être en profiter
pour y accrocher une corde et se
faire tracer en skate-board !

On fera du
"moon surfing".

Ça va être super tendance,
comme sport.

N'importe quoi !

Avec sa propre attraction, la Lune créerait des catastrophes inimaginables. Il n'y aura probablement plus de vie sur la Terre à ce moment-là.

Y aura que les cailloux pour faire du sport tendance.

Par contre, ça ferait une jolie
histoire pour "Le Guide du mauvais père".

Tiens, tu pourrais noter
ça dans ton petit carnet.

D'accord, Hubert Reeves, tu es peut-être un peu plus fort que moi en astronomie. Mais pour ce qui est de trouver des bonnes idées pour faire une histoire, je crois que j'ai une longueur d'avance.

Après tout, qui c'est qui a gagné un Fauve d'or à Angoulême ?

C'est toi ou c'est moi ?

Mmm ?

- Au magasin

Tiens... Quand j'étais jeune,
on avait un petit jeu qui faisait
bouger les vendeurs assez
rapidement.

Suis-moi.

Ça me rappellera
des souvenirs.

Alors... fonction réveille-matin...
Quelle heure il est, là ...?
Volume ...

Et de un.
Suivant.

Voilà, on va se
reculer un peu.

- <u>Par la cheminée</u>

Papa, ça ne sert plus à rien de me mentir, je sais que c'est pas vrai.

Euh... de quoi tu parles, exactement ?

Je sais que c'est vous qui donnez les cadeaux à Noël.

Ah bon, comment tu sais ça, toi ?

Tu sais, je suis grande maintenant, j'arrive à comprendre quand c'est des histoires.

C'est à l'école que vous discutez de ça, j'imagine ?

Oui, à la récré. On discute avec des grandes.

Bon, ben, voilà ! Maintenant, tu connais la vérité.

Je n'aurai plus à faire semblant.

Je me souviens que l'année dernière, j'avais coincé une botte de père Noël dans la cheminée pour faire semblant qu'il était passé.

Ha ha! J'avais déniché une vieille botte en cuir, sur laquelle j'avais collé du coton blanc.

On a bien rigolé, avec ta mère, quand on a vu l'expression de surprise sur ton visage.

Ah oui!
La botte...

Il faudra penser à la remettre
là où on l'avait trouvée, au cas
où il aimerait la récupérer.

- La console

On avait dit que dorénavant,
c'est toi qui gérerais tes devoirs.

<u>Tous</u> tes devoirs.

Est-ce que tu as
récupéré le "boomerang
d'argent"?

Non.

Sans le "boomerang d'argent", tu n'arriveras jamais à franchir la "rivière de lave".

Tu vas rester bloqué au niveau sept.

Je te signale que tu devrais déjà être au niveau huit depuis deux jours.

Ça va pas du tout.

Pff...
Je _déteste_
les jeux vidéo.